ÉPICES
quand et comment s'en servir

LE GUIDE DES
ÉPICES
quand et comment s'en servir

EDITIONS
Quebecor

Conception et réalisation graphique
de la couverture: Nicole Villeneuve

LES ÉDITIONS QUEBECOR
une division de Groupe Quebecor inc.
225, rue Roy est
Montréal H2W 2N6
Tél.: (514) 282-9600

Dépôts légaux, 2e trimestre 1986

Bibliothèque nationale du Québec
Bibliothèque nationale du Canada
ISBN-2-89089-359-6

CÉLER
MARJOLAI

INDEX

Compote: cannelle, gingembre, muscade, sauge, vanille
Confiserie: aneth, angélique, anis, gingembre, girofle
Confiture: gingembre, vanille
Consommés: laurier, marjolaine, thym
Court-bouillon: cardamome, cayenne, girofle, serpolet
Crème sure: ciboulette, marjolaine
Crevettes: origan, thym
Crustacés: ail, fines herbes, thym

Desserts à la semoule de blé: cannelle
Desserts au riz: cannelle

Farce de volaille: cerfeuil, estragon, marjolaine, sarriette
Flétan: cerfeuil
Foie de poulet: sauge
Fondue au fromage: carvi
Fruits de mer: ail, ciboulette, estragon, paprika
Fruits grillés: muscade, paprika

Gâteaux: aneth, anis, carvi, cannelle, cardamome, cariandre, gingembre, girofle, muscade, safran, vanille

Gibier: anis, basilic, coriandre, estragon, genièvre, girofle, laurier, marjolaine, muscade, origan, persil, romarin, sauge, sarriette, thym.
Goulash: carvi, paprika
Grillades: échalotes, origan, paprika, romarin, sarriette

Harengs marinés: laurier
Homard: origan

Infusions: angélique, anis, badiane, carvi, coriandre, gingembre, hysope, menthe, origan, romarin, sarriette, sauge

Jambon: carvi, girofle, marjolaine, moutarde, sauge
Jus de fruits: girofle
Jus de tomates: laurier, marjolaine, poivre

Ketchup: épices à marinade mélangées, girofle.

Lapin: ail, échalote, laurier, moutarde, origan, persil, romarin, sauge, serpolet, thym
Légumes: ail, aneth, marjolaine, paprika, sarriette, sauge, thym
Liqueurs: absinthe, aneth, angélique, anis, badiane, coriandre, hysope, mélisse, sarriette

Marinades: cannelle, coriandre, aneth, échalote, gingembre, girofle, muscade, piment, romarin, sarriette, serpolet
Marinades au vin: ail, baie de genévrier, estragon
Mayonnaise: curcuma, estragon, menthe
Meringue: muscade
Mouton: ail, marjolaine, origan, persil, romarin, sarriette, sauge, thym

Oeufs: mélisse, marjolaine, paprika, persil, romarin, sauge, thym
Omelette: ciboulette, fines herbes, origan, basilic, persil, romarin

Paella: safran
Pain: aneth, carvi, cardamome, coriandre, cumin, gingembre, safran

Pain d'épices: cardamome
Pains de viande: ciboulette, marjolaine, persil, sauge, thym
Pâtés: ciboulette, estragon, laurier, marjolaine, thym, sauge
Pizza: basilic, origan, piment
Plats créoles: cayenne
Poires pochées: cannelle
Poisson: ail, aneth, angélique, basilic, cari, cannelle, échalote, estragon, fines herbes, gingembre, laurier, menthe, paprika, persil, thym
Pommes de terre en purée: cari, muscade, marjolaine, paprika, et/ou sariette, ciboulette
Porc: ail, carvi, feuille de fenouil, girofle, laurier, marjolaine, origan, romarin, sarriette, sauge, thym
Pot au feu: romarin
Poulet à l'orientale: curcuma, gingembre
Pruneaux: cannelle
Punch: angélique

Quiche: origan

Ragoût: bouquet garni, cari, carvi, cannelle, céleri, échalote, girofle, hysope, laurier, livèche, persil, romarin, sarriette, sauge, serpolet
Ratatouille: fines herbes, laurier
Rhubarbe: angélique
Riz: cari, cumin, fines herbes, curcuma, laurier, safran, marjolaine
Rognons d'agneau: genièvre
Rognons de veau: genièvre

Salades: anis, carvi, ciboulette, curcuma, échalote, estragon, gingembre, livèche, menthe, sarriette, sauge
Salade de chou: carvi
Salade de concombre: basilic
Salade de fruits: menthe
Salade de pommes de terre: basilic, cari, persil
Salade de riz: carvi
Salade verte: cerfeuil, ciboulette
Sauces: aneth, anis, cayenne, céleri, échalote, estragon, hysope, laurier, muscade, moutarde, marjolaine, romarin, sarriette, vanille
Sauces à la viande: ciboulette, origan
Sauces au fromage: cayenne, sauge
Sauce aux canneberges: girofle
Sauce aux oeufs: cari
Sauce au poisson: carvi, cannelle, muscade
Saucisses: (fabrication des): sauge
Saumon: fenouil, fines herbes, thym
Saumure: (pour jambons et saucisses): serpolet
Sole: cerfeuil
Soufflés: cayenne, origan
Soupes: aneth, cerfeuil, ciboulette, estragon, laurier, livèche, marjolaine, muscade, romarin, sauge, thym,
Soupes de poisson: anis, laurier, thym
Spaghetti: ail, basilic, laurier, origan, piments séchés, sel de céleri, thym
Steak: estragon

Tartes aux pommes: cannelle, cumin, girofle
Tartes aux cerises: cumin, muscade

Tartes aux fruits: coriandre
Tomates: basilic, graines de céleri, cerfeuil, ciboulette, cumin, girofle, menthe, origan, sauge
Trempettes: ciboulette, fines herbes, persil, sauge
Truite: aneth, fines herbes, romarin, sel de céleri, thym

Veau: muscade, mélisse, romarin, sauge, sarriette en poudre
Viande: ail, basilic, cari, cayenne, coriandre, paprika, romarin, safran, sauge, thym
Vichyssoise: ciboulette
Vin épicé: girofle
Vinaigre: aneth, estragon
Vinaigrette: ail, angélique, cayenne, ciboulette, échalote, estragon, marjolaine, menthe, persil, piment, poivre, safran, sauge
Volaille: basilic, cari, ciboulette, échalote, fines herbes, laurier, muscade, mélisse, paprika, persil, safran.

INTRODUCTION

Épices... Fines herbes... Aromates... Imaginez un seul instant ce que serait la cuisine sans ce trio parfumé! Surnommées à juste titre «les bonnes fées de la cuisine», elles donnent du caractère et du goût aux mets les plus ordinaires. En plus d'être exquises, plusieurs d'entre elles ont des propriétés médicinales reconnues.

«Dis-moi ce que tu manges et je te dirai ce que tu es.» Comme c'est vrai! Dans l'alimentation comme dans toute autre chose, l'abus est toujours néfaste. Trop d'épices altère le goût, irrite les estomacs fragiles ou fait jaillir les larmes! Un mauvais mariage d'assaisonnements risque d'hypothéquer la saveur naturelle d'un aliment. Le secret en cuisine, c'est la finesse et le flair, le tout combiné à un jugement personnel approprié.

Pour bien comprendre le rôle du fameux trio culinaire parfumé, il faut faire la distinction entre les fines herbes, les épices et les aromates. Les fines herbes ont des parfums plus subtils que les aromates et les épices. Elles possèdent aussi des propriétés curatives, ce qui facilite la digestion. On peut se procurer les herbes fraîches ou séchées.

Par contre, le rôle des épices comme le sel, l'ail, le poivre, le piment, etc. est d'assaisonner et de relever le goût. Le dosage des épices nécessite beaucoup de jugement et de modération. Pour ce qui est des aromates, leur parfum est généralement plus prononcé que celui des fines herbes. Vous pouvez les acheter entiers, moulus grossièrement ou en poudre.

Les épices, les fines herbes et les aromates sont indispensables pour donner un cachet distinctif à votre cuisine.

Vous vous demandez peut-être quand il est bon d'ajouter les épices ou les herbes et les conditions requises pour préserver les épices.

Il n'y a pas de règles générales, mais en ce qui a trait aux soupes et aux ragoûts, vous y gagnerez à ajouter les herbes dans la dernière heure de la cuisson. Pour faire ressortir la saveur des hamburgers, pâtés et préparation pour farces et pains de viande, vous mélangerez les herbes à la viande avant la cuisson. Les rôtis sont saupoudrés vers la fin de la cuisson.

Si vous grillez les aliments, vous devez frotter la chair avec les épices recommandées. Pour les plats n'exigeant pas de cuisson, laissez le temps aux épices de bien pénétrer les aliments.

De toute façon, la plupart des recettes donnent les indications voulues pour tirer le maximum de saveur des mets.

En ce qui concerne les conditions de rangement des épices, des herbes, des assaisonnements, précisons que vous obtenez les meilleurs résultats lorsqu'ils sont frais. D'où l'importance de la rotation des produits. Un bon conseil: sentez-les périodiquement et si vous constatez que le bouquet est disparu, remplacez-les sans tarder. Pour éviter la perte de saveur, éloignez les herbes, les épices et les assaisonnements de toute source de chaleur. Les aromates changent aussi de couleur à la lumière.

Après usage, assurez-vous de bien refermer les contenants. Cette précaution permet aux aromates de garder toute leur fraîcheur.

Les renseignements qui suivent vous aideront à mieux comprendre les subtilités des épices, des fines herbes et des graines aromatiques.

Bon appétit à tous et à toutes.

ABSINTHE

Certaines personnes confondent l'absinthe et l'estragon. On utilise l'absinthe pour parfumer des vermouths; d'ailleurs, l'absinthe a été un breuvage quasi national en France au XIXe siècle.

La plus grande précaution est conseillée dans l'absorption de l'absinthe à l'état concentré qui devient un stupéfiant aux effets secondaires catastrophiques. L'absinthe est une plante herbacée, vivace dont la tige est rigide et bien pourvue en feuilles. On trouve les fleurs jaunes réunies au haut des branches. On la sème au printemps et elle se développe rapidement au soleil. L'automne est la meilleure période pour la germination des graines.

AIL

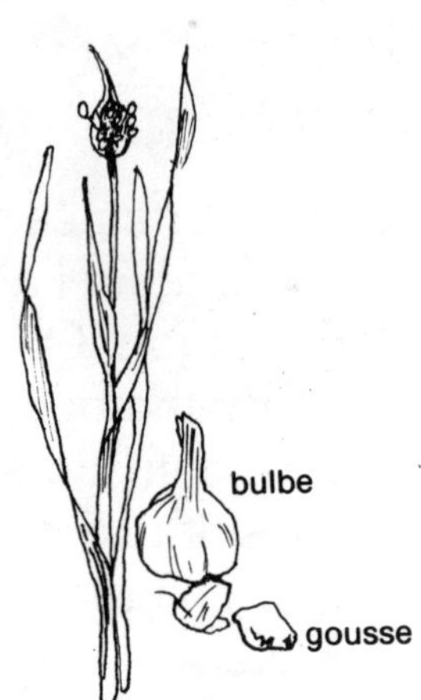

Le bulbe d'ail à saveur forte et piquante est surtout utilisé en cuisine comme condiment, cru ou cuit. Ses amateurs sont légion mais pour plusieurs personnes l'ail est particulièrement désagréable à cause de sa senteur persistante.

Propriétés

Il y a beaucoup à dire sur les vertus bienfaisantes de l'ail. C'est un aromate antiseptique et antispasmodique. Les spécialistes de la médecine naturelle le considèrent comme un régulateur de la tension artérielle. Il permet de diminuer la tension si elle est trop élevée et de l'augmenter lorsqu'elle est trop basse. Attention! Les personnes souffrant d'hypotension qui prennent de fortes doses d'ail courent le risque de tomber en syncope. La modération est à conseiller.

L'ail est un aliment vermifuge réputé; il convient d'en mettre dans la soupe des enfants pour chasser les oxyures, ces petits vers qui causent des démangeaisons à l'anus, surtout le soir. L'ail est conseillé aux personnes souffrant d'arthrite et de rhumatisme. L'ail peut dissoudre les dépôts calcaires dans le sang empêchant ainsi la formation de cristaux d'acide urique.

L'ail peut aussi contribuer à prévenir la grippe et à calmer une crise d'asthme.

Utilisation

L'ail est particulièrement utile pour relever le goût des mets fades, notamment dans le cas des régimes sans sel. Il est recommandé de ne pas manger les gousses. Contentez-vous d'en frotter les parois des mets. Les recettes exigeant de l'ail couvrent de multiples aliments: de la viande aux vinaigrettes, du poisson aux légumes en passant par le pain (beurre à l'ail) et les fruits de mer.

Voici quelques trucs des plus utiles pour ceux et celles qui craignent d'avoir mauvaise haleine après avoir mangé de l'ail: il suffit de croquer un morceau de pomme ou un brin de persil ou de l'anis ou encore de consommer une boisson à la menthe.

ANETH

L'aneth figure parmi les plantes aromatiques les plus connues. C'est une espèce herbacée qui apprécie particulièrement les endroits chauds. C'est une plante annuelle dont l'origine remonte à plusieurs pays: Inde, Perse, Europe méridionale, Égypte.

On l'appelle aussi fenouil. L'aneth pousse à l'extérieur mais on peut aussi en cultiver en appartement. Dehors, il affectionne l'ensoleillement et un sol acide enrichi de fumier ou de compost. À l'intérieur, la plante a besoin de beaucoup d'ensoleillement, soit cinq heures d'ensoleillement direct ou douze heures d'éclairage artificiel.

Utilisation

Les cornichons à l'aneth sont délicieux. Son arôme est très prononcé. L'aneth est utilisé pour parfumer potages, légumes, sauces et plats de poisson. L'aneth est utilisé frais: ses feuilles bleu-vert sont fines comme du persil. Ses graines séchées au goût âcre et légèrement amer sont employées comme condiments et dans la choucroute. Autres utilisations: vinaigre, croûtons de pain, gâteaux, poissons, dragées.

Pomme de terre au four.

ANGÉLIQUE

L'angélique, originaire de la partie nord de l'Europe, de Russie, du Groenland et de la Scandinavie, est un parent géant du persil. Ses tiges sont cylindriques et creuses. Plante bisannuelle ou vivace à courte existence, sa vie peut cependant être prolongée si vous l'empêchez de fleurir et de rapporter des fruits. Elle se cultive de préférence dans un endroit frais et ombragé sur une terre grasse, humide, légèrement acide.

Utilisée comme aromate, ses feuilles séchées s'emploient aussi comme tisanes médicinales.

Propriétés

On reconnaît à l'angélique des propriétés toniques, stimulantes, stomachiques, expectorantes, sudorifiques et carminatives. À elle seule, l'angélique constitue toute une pharmacie!

Les amateurs de légendes apprendront sans doute avec intérêt les superstitions attachées à cette plante. En effet, la légende veut que ce soit un ange qui l'ait fait connaître aux humains afin de remédier aux terribles ravages causés par la peste, ce grand fléau des temps anciens. Si la peste a heureusement disparu, l'angélique a conservé au fil des siècles toutes ses vertus.

Voici une merveilleuse recette, le punch à l'angélique, dont l'action revigorante a un effet bénéfique sur les bronches:

Ingrédients: 30 g de racines d'angélique, 1/2 verre d'eau-de-vie, 100 g de sucre en poudre, un jus de citron non traité et son zeste, 1 litre d'eau.

Prendre un saladier, verser l'eau-de-vie, la racine d'angélique coupée en petits morceaux, le sucre, le jus de citron et le zeste. Verser l'eau bouillante dessus. Buvez bien chaud.

Utilisation

L'angélique est une plante extraordinaire en ce sens que chacune de ses parties est utilisable. Si vous aimez les épinards, vous ne serez sans doute pas déçu(e) en mangeant les feuilles bouillies de l'angélique.

Ses feuilles sont légèrement amères; finement hachées, elles confèrent une saveur musquée aux plats de rhubarbe. Vous pouvez consommer les jeunes tiges creuses bouillies comme la rhubarbe.

L'angélique est aussi utilisée comme entremets, dans les vinaigrettes, dans les plats de poisson, en confiserie et desserts, en liqueur (liqueur d'angélique); ses graines peuvent remplacer celles du genévrier dans le gin.

Plusieurs personnes font des sachets de senteur avec les racines séchées de l'angélique.

ANIS

L'anis est aussi appelé «anis vert» ou pimprenelle. L'anis est le fruit d'une petite plante de la famille du persil. Il est reconnu comme le plus ancien aromate en cuisine. Originaire d'Asie Mineure, probrablement d'Égypte, voire de Russie, l'anis est produit à l'échelle industrielle dans plusieurs pays dont le sud de la France. Qui ne connaît le fameux pastis!

Propriétés

Les graines de l'anis sont utilisées dans

les produits de beauté, les médicaments, les boissons alcoolisées et les fortifiants. Plusieurs personnes mâchent les graines légèrement grillées afin de faciliter la digestion et purifier l'haleine. Utilisées en infusion, les graines sont stimulantes et carminatives.

Utilisation

L'arôme et la saveur de l'anis ne manquent pas de rappeler ceux de la réglisse.

On le retrouve dans de nombreuses recettes, en confiserie et pâtisserie. Citons par exemple: soupes de poissons, gibier, viandes, sauces, salades, bouillabaisse, entremets, liqueur d'anisette, dragées, pain d'épices, etc. Les amateurs de cari reconnaissent facilement l'arôme de l'anis.

BASILIC

Le basilic est une plante avec racine à pivot. Il en existe plusieurs variétés: à feuilles frisées, à feuilles pourpres. Les espèces naines dégagent l'odeur la plus prononcée.

Le basilic est originaire de l'Inde et fut aussi cultivé à une époque très lointaine en Égypte et en Grèce.

Le basilic est excellent pour donner de la vie aux plats insipides. Il a une saveur très aromatique sans toutefois être piquant, vous pouvez donc l'utiliser généreusement.

Utilisation

Le basilic est utilisé frais. Il corrige l'acidité de la tomate avec laquelle d'ailleurs il se marie parfaitement.

Voici plusieurs façons de l'utiliser: dans un beurre aux herbes avec jus de citron pour griller des poissons (par exemple le maquereau); dans les salades de concombre ou de pommes de terre; dans les plats de cuisine italienne, française, espagnole en ce qui a trait à la viande, au gibier et à la volaille; dans la garniture à pizza, l'omelette aux tomates et les plats aux oeufs; dans les bouillons de poulet, les sauces accompagnant les pâtes alimentaires, les soupes aux tomates, etc.

Le basilic est donc une herbe très populaire. Les connaisseurs affirment avec raison qu'il anime tout ce qu'il touche.

BADIANE

L'anis étoilé ou badiane est un fruit en forme d'étoile, sec et dur. Le badianier, un arbre exotique, est originaire de la Chine méridionale.

Utilisation

L'anis étoilé entre dans la préparation du cari. Il est employé en infusions avec le ginseng. Les liqueurs à l'anis étoilé ou badiane sont très appréciées.

BOUQUET GARNI

Le bouquet garni est composé d'un savant mélange d'herbes aromatiques (persil, thym, laurier). Vous pouvez les ajouter aux ragoûts, aux soupes à base de viande ou si vous préférez aux bouillons de légumes. Dans tous les cas, retirer avant de servir. On peut mettre le mélange choisi dans la partie verte de deux feuilles de poireau ou encore dans deux épaisseurs de gaze. Fermer le tout avec du coton ou du fil fort en prenant soin de laisser quelques centimètres supplémentaires pour retirer plus facilement le sac.

CANNELLE

Très aromatique, la cannelle est l'épice de boulangerie par excellence. Elle est l'écorce du cannelier du Ceylan et de la Chine. Elle se présente sous forme de tuyaux d'écorce roulée, séchée, en poudre.

Propriétés

C'est une épice antispasmodique, antiseptique et antidiarrhéique.

Utilisation

La cannelle aromatise parfaitement le chocolat, le gâteaux, les compotes, les tartes aux pommes, les poires pochées, les desserts au riz et à la semoule de blé.

Un dosage très léger donne un ton à un ragoût de boeuf et confère un attrait particulier au poisson ou aux sauces au poisson.

Appréciée dans les breuvages au lait, vous pouvez la mélanger au sucre pour garnir les bananes frites.

Ne l'oubliez pas pour aromatiser les pruneaux, le yogourt et les marinades.

CARDAMOME

C'est la graine d'une plante à rhizomes de l'Inde et du Vietnam. La cardamome se présente sous forme de grains blanchis et décortiqués ou en poudre.

Propriétés

Épice astringente, elle est recommandée dans les cas d'embarras gastriques.

Utilisation

La cardamome est utilisée dans le cari, les viandes et poissons à l'indienne, comme bouquet garni pour court-bouillon dans la préparation de gâteaux, le pain d'épices, le vin chaud. Croquée, elle masque l'odeur de l'ail.

CARI

Le cari (ou curry) forme la base même des plats de l'Inde. Ces plats sont en général très épicés. Le cari est un mélange de plusieurs épices finement moulues dont le safran qui lui confère sa couleur jaune, le coriandre, le cumin, le gingembre, etc. Il existe sur le marché plusieurs variétés de cari et le dosage dépend de chacun des fabricants.

Utilisation

Quelle quantité de cari faut-il utiliser dans un plat? Tout dépend du goût car sa saveur est plutôt vive. Vous pouvez l'utiliser avec les viandes, les poissons, le riz, les volailles, les ragoûts, les pommes de terre. Le cari est délicieux pour assaisonner la farine servant à enrober le poulet à frire ou à griller. Dans le cas des poissons sans peau, frottez-les ou ajoutez le cari à la chapelure. Vous pouvez aussi utiliser le cari dans les sauces aux oeufs, dans les pâtes pour pains épicés, dans les soupes aux tomates, dans les bouillons aux fèves ou pois cassés, dans les salades de riz et de pommes de terre, dans les biscuits épicés, etc.

CARVI

Le carvi est une plante ombellifère de la famille du persil. Cette plante bisannuelle est originaire d'Asie Mineure. Les graines de carvi ont une saveur chaude et agréable, plus perçante et poivrée que celles de l'anis. C'est une épice antispasmodique très bien tolérée par l'organisme.

Propriétés

Comme les graines d'anis et de fenouil, les graines de carvi ont un grand effet stomachique et carminatif. Elles constituent un excellent remède contre l'aérophagie. On prétend aussi qu'elles favorisent les sécrétions lactées (galactogènes).

Une tisane de graines de carvi est aussi bienfaisante. Compter deux pincées de graines par tasse d'eau bouillante. À boire après les repas.

Utilisation

Vous connaissez sans doute le pain de seigle et les biscuits à l'ancienne saupoudrés de carvi. La graine de carvi est très appréciée ajoutée au rôti de porc, dans les ragoûts de porc ou de veau. Elle est indispensable dans les goulash et la choucroute.

C'est aussi très bon dans le thon en sauce ou en salade, dans la betterave, la salade de chou, dans les recettes à base de fromage à la crème, dans les plats mijotés au poisson, dans les hors-d'oeuvre, dans la fondue suisse (un soupçon), dans les pâtisseries.

CAYENNE

Parce qu'il est extrêmement fort, le cayenne est une petite baie moulue dont l'usage doit être très modéré. Le tabasco est le cayenne liquide.

Utilisation

Le cayenne relève la saveur des viandes, se prête très bien aux sauces barbecue et aux plats exotiques (les plats créoles).

Une infime quantité sur les hors-d'oeuvre aux sardines ou aux huîtres fait toute la différence. À utiliser avec beaucoup de modération dans les pâtés ou les tartinades à base de fruits de mer, les vinaigrettes.

Le cayenne ajoute du piquant aux sauces au fromage, aux soufflés.

CÉLERI

Le céleri est un légume disponible à l'an-

CÉLERI

née longue dans les supermarchés ou les commerces de fruits et légumes.

Il y a les feuilles de céleri, le sel de céleri, la graine de céleri. Il existe une différence entre la graine de céleri et le céleri de jardin, tous deux faisant partie de la famille du persil. Leur saveur diffère. La toute petite graine de céleri, légèrement aromatique, contient une huile essentielle qui confère aux aliments un goût et une odeur de céleri frais.

Utilisation

Vous pouvez utiliser le céleri en branches de plusieurs façons: braisé, en ragoût, sauté, à la crème, à la sauce Béchamel.

Quant au sel de céleri, à utiliser en petites quantités sur des tomates, si elles sont bien tolérées.

CERFEUIL

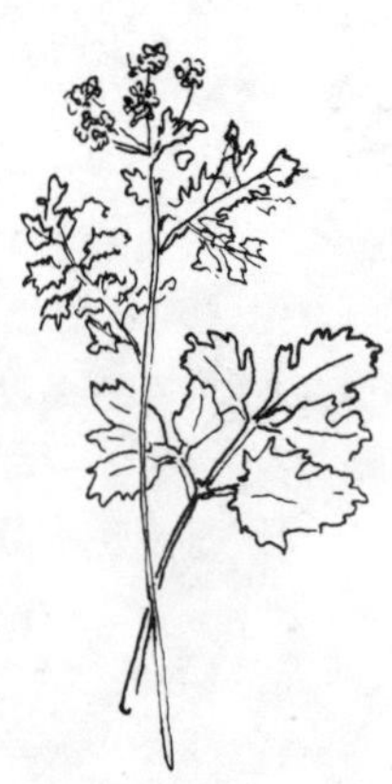

Le cerfeuil est une plante potagère originaire de la Grèce. Ses feuilles s'emploient fraîches pour en obtenir la pleine saveur. Son port et la forme des feuilles rappellent beaucoup le persil.

Propriétés

Cet aromate facilite la digestion et est très riche en vitamine C.

Utilisation

Le cerfeuil est très souvent utilisé dans les soupes aux pommes de terre ou aux légumes, dans les farces de volaille, dans les salades vertes, avec les poissons délicats (sole ou flétan). Il est exquis sur les tomates fraîches. En fait, on utilise le cerfeuil partout où l'on peut employer le persil.

Une indication importante: à utiliser cru uniquement.

CIBOULETTE

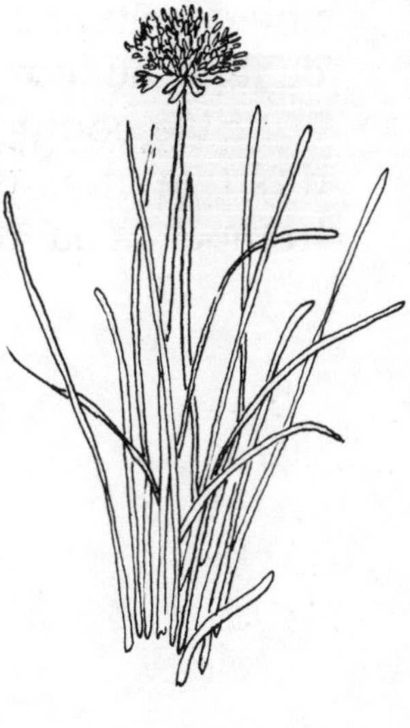

La ciboulette est une plante bulbeuse, qui est une sorte d'ail. C'est un aromate parfumé sans être trop fort. Elle a la saveur d'oignon frais cueilli. Comme le cerfeuil, elle doit être utilisée fraîche. On recommande de la couper avec des ciseaux plutôt que de l'émincer au couteau.

Utilisation

Comme l'oignon, vous pouvez utiliser la

ciboulette là où vous le désirez. Mais sa place de prédilection est dans une omelette puis dans une salade verte. À utiliser généreusement.

La ciboulette donne une saveur exquise aux mets suivants: dans une sauce à la crème et aux champignons pour accompagner le veau; avec un beurre au jus de citron pour le poulet grillé; dans les croquettes de poisson et les pâtés; dans les vinaigrettes; indispensable dans la Vichyssoise; dans les sauces à la viande (en petite quantité); dans les garnitures pour sandwich au fromage; dans les soupes aux fèves, lentilles ou asperges; dans une garniture à la crème sure pour pommes de terre au four.

Si le coeur vous en dit, saupoudrez sur des tranches de tomates ou mêlez à des trempettes au fromage.

CORIANDRE

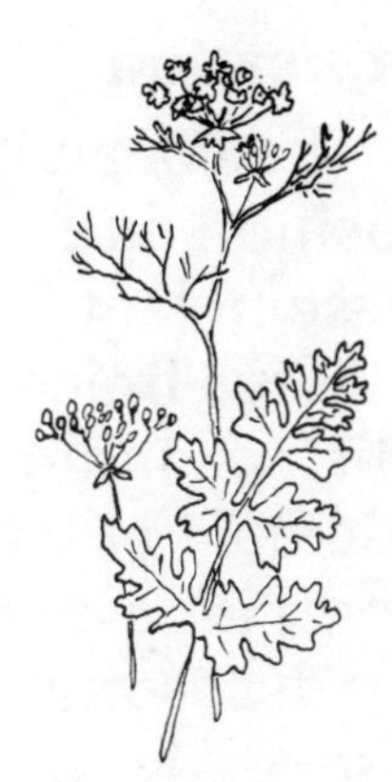

La coriandre est aussi appelée le persil arabe. C'est une plante annuelle facile à cultiver au printemps. Vous pouvez l'essayer dans votre jardin dès cette année. La graine est petite. Séchée, elle a une odeur piquante et agréable.

Propriétés

Les tisanes faites à partir des graines de coriandre ont un effet stimulant, digestif et carminatif. Elles ont aussi des propriétés désinfectantes dans les cas d'intoxication intestinales.

On raconte qu'autrefois les anciennes peuplades leur reconnaissaient des vertus euphorisantes (qui rend joyeux) et ils en mettaient dans leur vin pour le rendre plus capiteux.

Voici comment préparer une bonne tisane digestive: prendre une cuillerée à café de graines par tasse d'eau bouillante. Si le coeur vous en dit, vous pouvez aussi les mélanger à des graines d'anis vert ou de fenouil. Elles ont les mêmes propriétés digestives.

Utilisation

La coriandre est essentielle dans la composition du cari. Ses délicates fleurs vertes ressemblant à celles du persil sont souvent utilisées fraîches comme aromates dans les cuisines indienne, pakistanaise, chinoise, orientale et latino-américaine. Vous apprécierez la saveur de la coriandre dans les marinades, surtout les cornichons, dans les pâtisseries, les tartes aux fruits, le riz et les viandes cuites dans une sauce aux tomates, les gâteaux d'épices, le gibier, les champignons à la grecque, les liqueurs, les mélanges de condiments. Vous connaissez sans doute les saucisses à hot dog. La coriandre est utilisée dans leur fabrication.

CUMIN

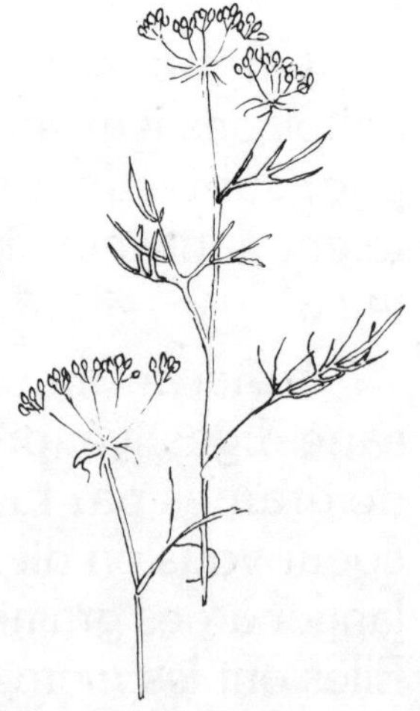

La graine du cumin possède une forte odeur aromatique et confère aux aliments une saveur orientale et exotique. Elle provient d'une plante annuelle originaire d'Asie centrale et du Turkestan.

Propriétés

Le cumin est antispasmodique et était utilisé en tisane par les Anciens.

Utilisation

Les graines du cumin servent à parfumer les pains et les fromages. En cuisine, elles sont principalement utilisées pour aromatiser les viandes grillées. On peut affirmer sans se tromper que c'est l'aromate préféré des Mexicains qui l'utilisent dans leur «chili con carne» et dans leurs «tamales». Le cumin entre dans la composition du cari. Plusieurs personnes l'emploient, en petites quantités, sur des pains sucrés, dans les tartes aux pommes ou aux cerises. Il sert aussi à préparer la liqueur de Kummel.

Le cumin est employé dans les sauces aux tomates, dans les fèves au lard, le riz bouilli et les oeufs farcis.

CURCUMA

Le curcuma sert à la fabrication du cari. On l'utilise dans la préparation des cornichons à la moutarde, dans les plats de riz et les salades. Cette épice est excellente dans les recettes de poulet ou d'agneau originaires du Maroc ou des Andes. On peut en ajouter un soupçon à la mayonnaise et il s'avère un substitut économique du safran.

ÉCHALOTE

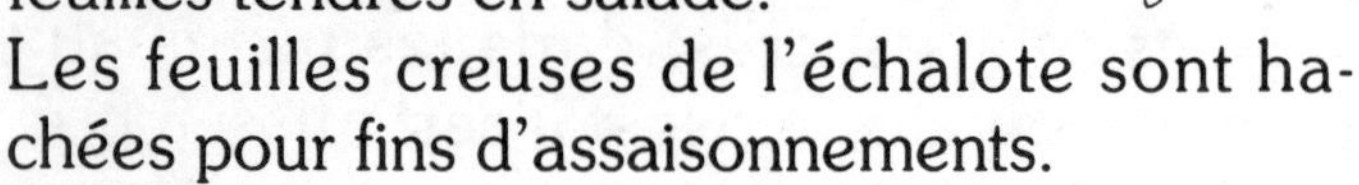

C'est une plante bulbeuse de la même famille que l'ail dont elle possède l'arôme, sans en avoir l'odeur pénétrante. Comme l'oignon et l'ail, l'échalote est récoltée chaque année pour ses bulbes savoureux mais on emploie parfois ses feuilles tendres en salade. Les feuilles creuses de l'échalote sont hachées pour fins d'assaisonnements.

Culture

L'échalote adore le soleil. Vous la plantez au printemps ou à l'automne. Les bulbes qui se développent en été et à l'automne sont généralement de petite taille et se cueillent en groupes.

Utilisation

On utilise l'échalote dans les marinades, les civets, les ragoûts et dans les sauces. Cette plante se marie aussi très bien aux poissons, volailles et grillades.

ESTRAGON

Les gourmets adorent l'estragon. La plante appartient à la famille des armoises, originaire de Russie. L'estragon a le grand mérite de relever les plats fades à qui il donne de l'originalité.

Propriétés

Cet aromate peu salé facilite la digestion et est conseillé contre l'aérophagie. C'est un bon antiseptique intestinal.

Utilisation

Tous connaissent la fameuse vinaigrette d'estragon qui relève superbement les jus de tomates, les soupes aux tomates et consommés, les oeufs brouillés, les filets de poisson, les steaks, les soupes aux champignons. À utiliser dans la fricassée au poulet, dans les marinades au vin pour le veau et le boeuf. Il est exquis avec le gibier principalement le lapin et le lièvre. L'estragon a certainement sa place dans le cocktail de fruits de mer, les aspics aux oeufs, le pâté de foie, dans une mayonnaise avec du cresson, du persil et du cerfeuil, dans la sauce béarnaise ou tartare, dans la soupe au poulet, dans la farce, dans une marinade pour brochettes, etc.

FENOUIL

(voir aussi Aneth)

Le fenouil est une des herbes culinaires les plus anciennes. La plante est originaire des bords de la Méditerranée, d'Égypte, de Chine, de l'Inde; elle est aussi cultivée dans le midi et l'ouest de la France.

Propriété

Les propriétés thérapeutiques du fenouil sont connues depuis l'Antiquité. Vous vous souvenez sûrement que les Grecs couronnaient leurs héros de guerre avec des feuilles de fenouil.

Ses propriétés sont digestives, stimulantes, carminatives et apéritives.

Voici une façon de préparer une bonne infusion pour faciliter la digestion:

Prendre deux pincées de graines de fenouil, une pincée d'anis vert et quelques feuilles de menthe (fraîches ou séchées). Infuser dans une tasse d'eau bouillante.

Utilisation

Les feuilles au goût d'anis et les graines sont souvent utilisées dans la cuisson des poissons et comme aromates dans les sauces qui les accompagnent. Plusieurs ajoutent les feuilles finement hachées dans les assaisonnements de salades et les potages. Les graines parfument vinaigres et condiments.

Le fenouil entre dans la fabrication de l'Anisette, de la Chartreuse et de l'Absinthe.

FINES HERBES

Les fines herbes sont des herbes à l'arôme agréable utilisées dans les trempettes, les beurres assaisonnés, les plats de riz et tous les mets à base de tomates. Elles assaisonnent bien les soupes aux légumes, les omelettes, le poulet et le poisson.

Un bouquet de fines herbes se compose de persil, estragon, basilic, marjolaine, ciboulette, cerfeuil, sarriette, thym, romarin et sauge.

GENIÈVRE

Le genévrier est un conifère très connu. Vous connaissez tous la saveur du gin fabriqué grâce à la baie de genièvre. Celle-ci, bien entendu, est le fruit du genévrier. Il se présente comme un petit grain rond, d'un noir violacé.

Le bois du genévrier sert à fumer les viandes. Les baies aromatisent chair, gibier, boissons alcoolisées (par exemple la genevrette, la crème de genièvre, le ratafia et le gin). Dans le cas des rognons de veau ou d'agneau, vous concassez quelques grains que vous jetez dans le beurre de la cuisson.

GINGEMBRE

Le gingembre est une épice des plus populaires chez les Asiatiques et les populations créoles. D'ailleurs il est originaire de l'Inde et de la Malaisie et est aussi cultivé au Vietnam, à Java, à la Jamaïque et aux Antilles. Dans la cuisine chinoise, le poisson au gingembre est un plat très populaire.

Propriétés

Le gingembre est un stimulant de l'estomac. Il est de plus utilisé par plusieurs dans des infusions.

Utilisation

Pour tirer le maximum de saveur et de finesse du gingembre, il faut l'utiliser frais. Râpé très finement, le gingembre aromatise salades et hors-d'oeuvre, sauces. Marinés au vinaigre, les morceaux finement coupés se mangent comme des pickles.

En poudre, le gingembre aromatise plusieurs gâteaux et petits pains — les biscuits au gingembre sont délicieux de même que les bonbons au gingembre. En racines séchées, le gingembre est employé pour relever les marinades et les confitures et aromatiser les compotes de fruits. Si vous prenez la précaution de placer le gingembre dans un contenant hermétique et congelé, il peut se conserver indéfiniment. Vous pouvez même le peler et le râper sans le dégeler.

GIROFLE

Le girofle est le bouton floral d'un arbuste, le giroflier. Il est cultivé dans plusieurs pays dont Madagascar, Java et en Amérique.

Vous pouvez vous le procurer en clous entiers, moulus en poudre ou en essence.

Propriétés

Le clou de girofle facilite la digestion et est réputé antidiarrhéique et antiseptique.

Utilisation

Une recommandation: retirer toujours les clous entiers avant de servir.

En cuisine, le clou de girofle peut aromatiser un bouillon ou un ragoût. Vous pouvez l'ajouter au court-bouillon, à la sauce de gibier. Plusieurs cordons-bleus font les recommandations suivantes quant à l'utilisation du clou de girofle: piquer les clous entiers sur le jambon avant la cuisson, c'est aussi valable pour le porc et le jambon mariné; utiliser entier ou moulu dans du vin épicé ou des jus de fruits; un soupçon de clou moulu donne un goût particulier à la soupe aux pommes de terre; moulu dans les brioches, pains d'épices et gâteaux aux fruits et dans toutes sortes de biscuits épicés; entier dans les marinades de fruits ou légumes, moulu dans la sauce aux canneberges, chutneys et sur les betteraves ou les tomates; entier ou moulu dans la tarte aux pommes, moulu dans les puddings au lait ou les confiseries.

HYSOPE

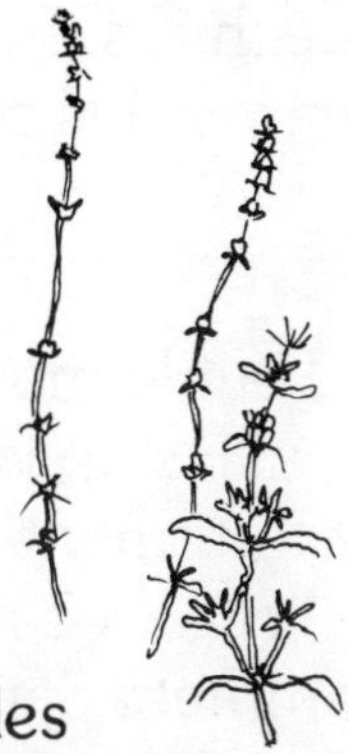

La plante est originaire de la Méditerranée et de l'Asie méridionale. Elle se présente en feuilles ou en rameaux.

Propriétés

Cette herbe, vénérée par les Anciens, était considérée comme une plante sacrée par les Grecs et les Hébreux.

L'hysope est tonique et stomachique. Elle peut aussi apaiser les maux respiratoires d'origine bronchique.

Pour une infusion, prendre environ 20 g de plante fraîche ou sèche, mettre dans 1 litre d'eau bouillante. Infuser pendant un quart d'heure.

Utilisation

Voici comment on les utilise:
rameaux: bouquets de persil, ragoût, sauces;
feuilles: sur les tranches de pain bis, recouvertes de lait et saupoudrées de sel;
liqueur: élixir de la fameuse Grande-Chartreuse.

Il y a aussi l'hysope fenouil qui est originaire de l'Amérique du Nord. Ses feuilles à odeur d'anis peuvent être utilisées fraîches ou séchées pour confectionner des tisanes ou garnir des coupes de fruits.

LAURIER

Tout le monde connaît les feuilles de laurier. Elles sont fortement aromatisées. À utiliser avec modération notamment dans un plat où il entre du liquide, car plus le laurier cuit, plus il s'en dégage d'arôme.

Propriétés

On utilise les feuilles du petit laurier pour les sauces. On prétend qu'à fortes doses il devient toxique, mais par contre il et bien toléré aux doses normales.

Utilisation

Pouvez-vous imaginer une soupe au chou sans sa feuille de laurier? Le laurier est indispensable aux soupes ou sauces aux tomates. On l'utilise dans la plupart des soupes aux légumes ou de poisson. On peut l'infuser dans le lait chaud pour une sauce Béchamel.

Le laurier ajoute un cachet très particulier aux brochettes d'agneau et il a le mérite de raviver la plupart des ragoûts et il est toujours ajouté à la cuisson du jambon ou du poulet.

Les feuilles de laurier sont utilisées dans les harengs marinés, pâtés ou terrines, dans les consommés ou jus de tomate.

Beaucoup de personnes attesteront que le laurier s'avère agréable dans les salades de fruits de mer, avec le riz, dans la ratatouille. Vous pouvez ajouter une feuille de laurier à la cuisson de carottes, d'oignons ou de tomates en boîte. Vous pouvez être agréablement surpris en essayant une pincée de feuilles de laurier moulues avec du fromage à la crème. Un autre bon conseil culinaire: utiliser une feuille de laurier pour pocher le poisson ou le mariner.

LIVÈCHE

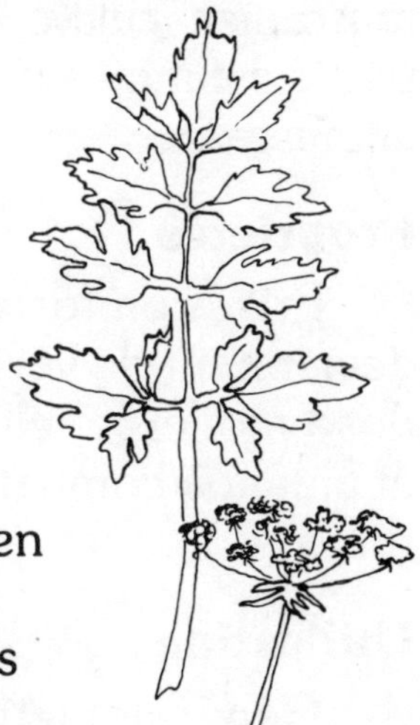

La livèche est aussi appelée le céleri de montagne. Elle ressemble au céleri par le goût, l'aspect et les utilisations.

Propriétés

La livèche est utilisée en pharmacopée, elle se doit donc d'avoir des propriétés thérapeutiques.

Utilisation

Les feuilles (couleur vert foncé) de cette plante vivace servent à aromatiser potages et ragoûts ou sont consommées en salades. Quant à ses graines, elles donnent une saveur de céleri un peu citronnée aux fromages et à de nombreux plats. Les tiges peuvent être confites exactement comme celles de l'angélique et ses racines peuvent être mangées en légumes.

MACIS ET MUSCADE

La muscade est le noyau d'un fruit exotique; le macis est la poudre provenant de l'écorce de ce noyau. L'arbuste s'appelle le muscadier, cultivé dans les pays chauds. Le macis est moins parfumé et moins sucré que la muscade.

Propriétés

Prises en fortes doses, ces deux épices deviennent de véritables stupéfiants! Mais à dose modérée, elles sont antispasmodiques et aident à combattre ballonnements et diarrhées.

Utilisation

Généralement, on utilise le macis avec

les viandes et les mets où l'on veut une saveur muscadée moins prononcée.

Quant à la muscade, il est toujours préférable de l'employer fraîchement râpée mais elle est toujours disponible séchée, sous forme de bille oblongue et en poudre.

Comme la plupart des épices, la muscade se prête à de multiples recettes. Râpée, elle aide à la digestion des viandes lourdes ou grasses. On l'emploie dans les sauces accompagnant le gibier ou dans les marinades. Elle est indispensable dans la cuisine italienne.

On l'utilise dans les sauces blanches, avec les choux de Bruxelles, les choux-fleurs; avec le poulet rôti, le veau, les compotes de pommes et de poires et dans la pâtisserie. Elle est délicieuse dans les gâteaux aux fruits ou au chocolat, dans les puddings et les sauces à dessert, dans la crème fouettée et la tarte aux cerises.

Si vous le désirez, utilisez aussi la muscade sur du fromage, sur des rôties, dans les sauces au poisson ou les mélanges de fromage à la crème et pour les oeufs nappés de sauce au fromage. Elle est absolument superbe saupoudrée sur la meringue d'une tarte au citron.

On recommande l'utilisation de la muscade dans les pommes de terre en purée ou les croquettes de pommes de terre, sur les fruits grillés, dans les breuvages au chocolat, dans le vinaigre des cornichons, dans la soupe au poulet.

MANIGUETTE

Les grains de couleur brun rougeâtre sont extraits d'une baie africaine à l'état sauvage. Cette épice est disponible séchée en poudre. Elle entre dans la fabrication de certaines autres épices industrielles.

MÉLISSE

La mélisse est une belle plante herbacée, vivace dont les feuilles ont une odeur de citron. On la confond avec d'autres plantes telles le thym à odeur de citron et la verveine-citronnelle. Comme les autres herbes à odeur de citron, la mélisse, cultivée dans de mauvais sols, a un arôme plus intense.

Vous pouvez cueillir les feuilles destinées à être employées fraîches à n'importe quel moment, mais les feuilles à faire sécher doivent être cueillies juste avant la floraison.

Afin de conserver leur saveur et leur parfum, il vaut mieux faire sécher les feuilles rapidement, au four de préférence. À conserver dans un récipient hermétique.

Utilisation

On utilise la mélisse en assaisonnements dans les oeufs, la volaille ou le veau, dans la fabrication des fortifiants et des liqueurs et pour donner du parfum à des boissons fraîches.

Les feuilles de mélisse dégagent un parfum agréable en sachets ou en bouquets séchés.

MENTHE

Voilà une herbe qui, en plus d'avoir des vertus thérapeutiques bien connues, possède un arôme extrêmement agréable. Plante herbacée, vivace, la menthe se cultive facilement dans votre jardin. Les racines se propagent rapidement et à chaque année vous avez à la portée de la main ces feuilles vertes qui sentent si bon.

Propriétés

La menthe a une belle réputation en tant qu'infusion chaude. Elle a des propriétés digestives, elle est antispasmodique et est recommandée contre l'aérophagie. Elle se boit chaude ou froide, avec ou sans sucre, souvent accompagnée d'une tranche de citron. Essayez une infusion de menthe accompagnée de citron et d'une cuillerée de miel et vous apprécierez ce mariage parfait.

Utilisation

La menthe aromatise superbement une sauce servie avec l'agneau mais elle peut aussi bien égayer les salades, les tomates, les vinaigrettes, les salades de fruits, les mayonnaises qui accompagnent les poissons froids, les moitiés de pamplemousses, les garnitures au yogourt. Autres indications: infuser dans le sirop des coupes de fruits et retirer avant de servir; saupoudrer des tomates à griller; ajouter à du beurre sur des pommes de terre nouvelles ou des pois; mélanger au fromage à la crème; utiliser en petite quantité avec le poisson grillé ou au four.

MOUTARDE

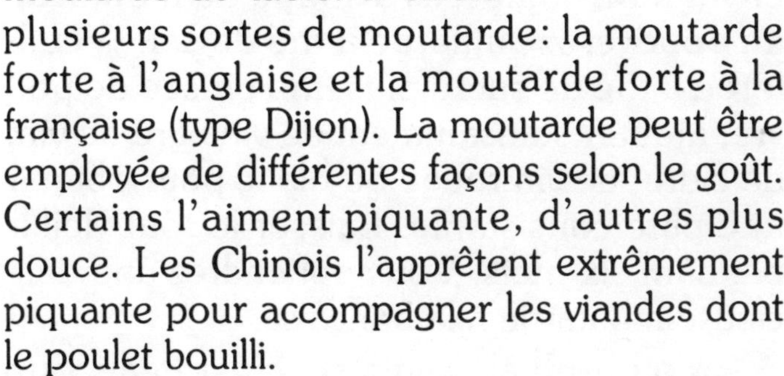

C'est sans doute le condiment le plus ancien. C'est la graine d'une herbe de la famille des crucifères. On cultive la mourtarde blanche sur une grande échelle industrielle pour ses graines jaune pâle qu'on broie pour en faire la moutarde de table. Il existe plusieurs sortes de moutarde: la moutarde forte à l'anglaise et la moutarde forte à la française (type Dijon). La moutarde peut être employée de différentes façons selon le goût. Certains l'aiment piquante, d'autres plus douce. Les Chinois l'apprêtent extrêmement piquante pour accompagner les viandes dont le poulet bouilli.

Propriétés

Ce condiment très relevé excite les sécrétions digestives. La farine de moutarde est aussi employée en thérapeutique.

Utilisation

Les jeunes feuilles de la moutarde font un assaisonnement poivré pour la salade et plusieurs les font cuire pour les consommer comme épinards. Plusieurs personnes cultivent la moutarde en intérieur pour manger les plants comme légume vert.

Vous pouvez préparer votre propre moutarde en la mêlant à différents aromates et en y ajoutant des herbes fraîches selon vos préférences.

Voici deux façons de préparer l'excellente moutarde:

Moutarde (type Dijon): stériliser un pot et verser 2 cuillerées à soupe de moutarde en poudre, ½ cuillerée à thé de sel, ¼ cuillerée à thé de sucre plus une pincée de poivre; ajouter suffisamment de vinaigre de vin, de cidre, de vin rouge ou blanc pour obtenir une pâte consistante. Laisser le tout vieillir pendant six mois. Vous obtiendrez une délicieuse moutarde à la française.

Moutarde à l'anglaise: c'est beaucoup plus simple dans ce cas-là. Mélanger 2 cuillerées à soupe de moutarde en poudre avec assez de lait ou de crème pour obtenir une pâte consistante. Une précaution pour empêcher la pâte de sécher: recouvrir de papier ciré l'intérieur du couvercle de votre moutardier.

On emploie la moutarde dans la fabrication des sauces pour épicer les viandes, les légumes et pour accentuer la saveur de certains plats un peu fades.

MAJORLAINE / ORIGAN

On appelle la marjolaine «la grande dame» de la famille des fines herbes. Elle se marie divinement à toutes sortes d'aliments. L'origan est la marjolaine sauvage. Les amateurs de sarriette et de marjolaine ont un faible pour l'origan.

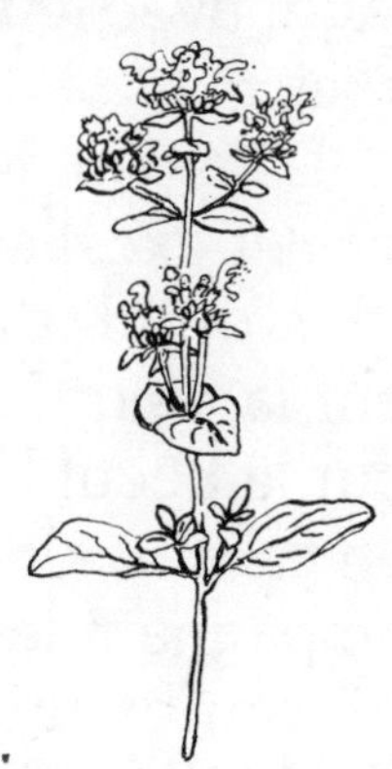

Propriétés

L'utilisation de la marjolaine doit être modérée à cause de son arôme assez piquant. On peut l'employer seule ou avec du thym.

L'emploi de la marjolaine: les oeufs en sauce blanche; les soupes à base de boeuf ou de tomates; les cocktails de fruits de mer; les jus de tomates; le pâté de foie et le consommé; la friture de poisson; le cassoulet; les pains de viandes; les rôtis de porc ou d'agneau; les farces pour l'oie, le canard ou tout autre genre de gibier; les pâtés chinois; les hamburgers ou la saucisse; les épinards, courges, champignons, pommes de terre pilées, salade verte; un tout petit peu dans les soupes aux pommes de terre, aux poix, aux lentilles ou à l'oignon; dans les sauces brunes (avec modération); dans les sauces au fromage; avec le fromage à la crème ou cottage, etc.

L'emploi de l'origan: indispensable sur la pizza et excellent dans la quiche, les soufflés et les omelettes; dans les farces relevées pour la poitrine d'agneau, le veau ou le porc; pour le boeuf braisé ou le plat mexicain «chili con carne»; dans les sauces aux tomates accompagnant les pâtes alimentaires; pour badigeonner les grillades de poulet ou de viande; dans les pâtés de poisson, poisson grillé ou au barbecue; avec les crevettes ou homard; sur les tomates grillées; dans la farce pour oignons au four; dans le jus de légumes et garniture au fromage. Vous pouvez aussi l'infuser dans une vinaigrette pour champignons.

OIGNON

Comme l'ail, l'oignon est utilisé très souvent en cuisine. Il a la réputation d'être indigeste, mais par contre, il est extrêmement riche en vitamines et sels minéraux. Parmi les sels minéraux contenus, citons le fer, le phosphore, le potassium, le sodium, le soufre, l'iode et le calcium.

Propriétés

On prête à l'oignon de multiples vertus thérapeutiques. À cause de son phosphore, l'oignon facilite le travail cérébral: Avis aux intellectuels! Grâce à son potassium, ses propriétés diurétiques le font recommander aux cardiaques ainsi qu'aux personnes faisant de la rétention d'eau.

Il existe d'autres utilisations heureuses de l'oignon, à savoir:

—un oignon coupé en deux et respiré fortement peut faire cesser une crise nerveuse;

—appliquer de l'oignon écrasé avec une pincée de sel sur une brûlure. La douleur s'apaise immédiatement et il ne se forme pas de cloque.

—si, en été, les moustiques vous agacent, vous pouvez utiliser l'oignon à la place des insecticides. Les bestioles vont battre en retraite.

ORIGAN

Voir marjolaine page 57.

PAPRIKA

Le paprika est une poudre de couleur rouge vif à saveur douce. Elle est faite de petits piments rouges doux, séchés et moulus. La cuisine hongroise l'utilise comme base aromatique. D'ailleurs, il est reconnu que le meilleur paprika provient de ce pays.

Du point de vue thérapeutique, il est à déconseiller.

Utilisation

Le paprika est utilisé comme garniture pour donner de la couleur à un mets. Mais certains affirment qu'il peut jouer un rôle plus intéressant pour nos papilles gustatives en l'ajoutant aux sauces et aux viandes en petites quantités mélangées avec un peu de beurre mou ou de crème sure.

Si vous désirez obtenir une belle couleur dorée pour vos viandes grillées, saupoudrez-les légèrement de paprika juste avant la cuisson.

Le paprika est utilisé en garniture pour les oeufs mayonnaise. Voici d'autres moyens de l'apprécier à sa pleine valeur: mélanger au beurre fondu accompagnant le poisson grillé; pour garnir les canapés et potages à la crème; dans les pommes de terre en purée ou les croquettes de pommes de terre; sur les fruits grillés, avec des carottes, du chou ou des épinards; dans la goulash et les sauces; sur les cocktails de crevettes; avec d'autres assaisonnements pour le poulet rôti ou frit.

PERSIL

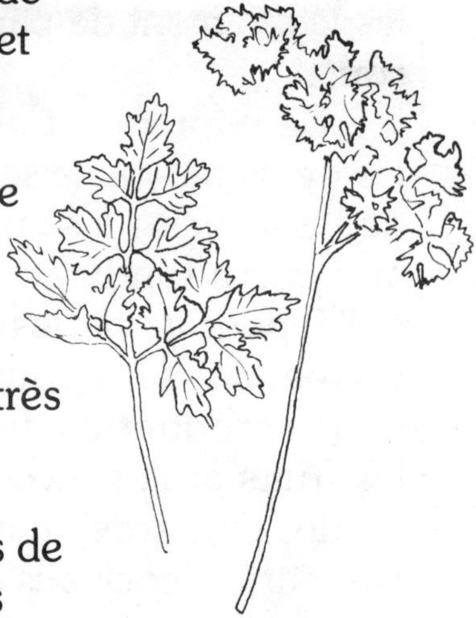

Le persil fait partie de l'histoire de l'humanité et c'est sans doute l'herbe aromatisée la plus couramment cultivée. Le persil est une herbe résistante bisannuelle généralement cultivée comme annuelle. Il est très employé en cuisine et comme garniture.

Il existe deux sortes de persil: le persil à feuilles lisses et le persil à feuilles frisées. Plusieurs prétendent que le persil à feuilles lisses possède une saveur plus prononcée. Cela, dit-on, est attribuable aux facteurs climat et sol et il est reconnu que le persil à feuilles lisses est une herbe plus robuste que le persil frisé.

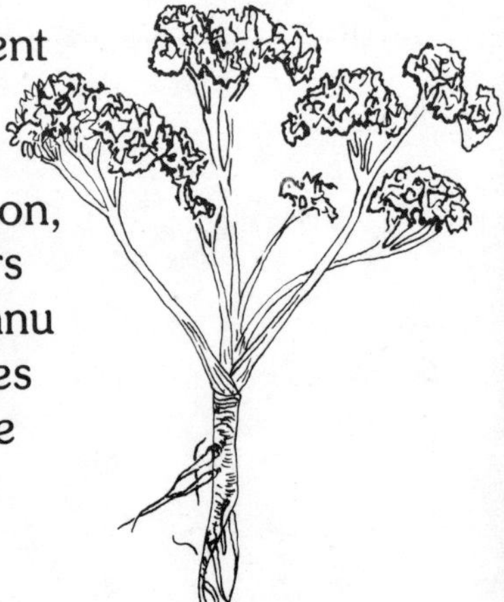

Propriétés

Le persil est très riche en vitamine C, magnésium, calcium, fer et potassium. Il con-

PERSIL

tient aussi de la vitamine A, ce qui est assez rare. Les vertus du persil furent diversement appréciées à travers l'histoire. Ainsi, les Grecs de l'Antiquité et les Romains pensaient que les brins de persil pouvaient stimuler l'appétit et apporter la joie de vivre. Mais au Moyen-Âge, on redoutait le persil car on prétendait que le persil transplanté apportait la mort et de maigres récoltes!

Utilisation

Le persil entre dans des centaines de préparations culinaires. Ce qui n'est pas peu dire. On peut l'utiliser à volonté. Nous ne pouvons énumérer les nombreuses recettes contenant du persil. En voici les principales utilisations: une sauce au persil accompagne merveilleusement bien le jambon, le poulet, le poisson; saupoudrer le persil sur les soupes avant de servir; dans la farce pour poisson, dans des croquettes de poisson; dans du beurre fondu avec du jus de citron pour badigeonner le poisson grillé; en garniture pour trempettes ou canapés; dans une garniture pour sandwich à base de fromage à la crème; comme assaisonnement pour les omelettes, les oeufs brouillés ou autres mets aux oeufs; dans la plupart des ragoûts.

Plusieurs l'adorent infusé dans la vinaigrette française et d'autres l'ajoutent à du beurre fondu pour arroser les légumes. Voici un autre petit secret: ajouter le persil finement haché au riz aux fines herbes.

PIMENT

Le piment est le fruit d'une herbe herbacée, annuelle dans les pays méditerranéens, vivace dans les pays tropicaux. Ici, vous pouvez semer les graines au début du printemps et cueillir les piments vers la fin de l'été. Il existe des piments très forts ainsi que des piments doux. Le piment est essentiel dans la préparation du cari et les Créoles et Asiatiques en mangent souvent, surtout les variétés les plus piquantes.

Du côté thérapeutique, le piment, doux ou piquant, est irritant. Il est donc à déconseiller.

Utilisation

Le piment très piquant remplace le poivre pour relever plusieurs plats. On l'utilise dans les soupes, dans diverses sauces aux tomates, dans les ragoûts, les pâtés au poulet, le «chile con carne». Vous pouvez aussi bien l'infuser dans les vinaigrettes et dans les marinades pour la viande.

Parlons maintenant du piment de

Piments

cayenne. La cayenne est une minuscule baie moulue, extrêmement piquante. La modération est donc de mise. Une toute petite pincée relève manifestement plusieurs mets: poissons, sauces, court-bouillon.

POIVRE

Les grains du poivrier sont récoltés principalement en Inde et en Indochine. On utilise le poivre noir ou le poivre blanc. C'est une épice piquante, irritante.

Comment obtient-on le poivre blanc? Simplement en faisant macérer le poivre noir dans l'eau salée et en le décortiquant par la suite.

Propriétés

Le poivre noir ou blanc favorise la digestion et stimule les sécrétions digestives.

Utilisation

Si vous aimez un plat plus piquant, utilisez le poivre noir. Dans le cas contraire, le poivre blanc est tout indiqué. Il faut préciser que le poivre blanc est plus parfumé que le poivre noir. Les deux doivent trôner sur les tablettes de la cuisine. Il est beaucoup plus rentable d'acheter du poivre en grains et de le moudre dans un petit moulin à poivre. De cette façon, vous avez toujours du poivre frais à la portée de la main; la saveur demeure intacte.

On utilise le poivre pour accentuer la saveur d'un plat. On l'utilise dans toutes les recettes épicées. Pour une salade ou une sauce délicate, c'est le poivre blanc qui convient le mieux. Pour un bouillon à cuisson longue et lente, utilisez le poivre noir. Frais moulu, le poivre noir donne un cachet particulier à toutes les salades ou vinaigrettes.

En se servant du petit moulin à poivre sur la table, l'action de moudre le poivre éveille les papilles.

Certains affirment que le poivre fraîchement moulu a un goût qui dépasse en finesse celui du poivre moulu sur une échelle industrielle. Pour résumer, le poivre entre dans l'assaisonnement de la plupart des mets, des hors-d'oeuvre et salades jusqu'aux fromages.

ROMARIN

On le surnomme l'herbe du souvenir. C'est une plante que l'on cultive pour ses feuilles extrêmement aromatiques utilisées fraîches ou séchées en cuisine. Il faut l'utiliser en petite quantité.

Propriétés

Le romarin est antispasmodique, antidiarrhéique. Il a le mérite de faciliter la digestion.

On extrait du romarin une essence utilisée en parfumerie.

Utilisation

Très utilisé en cuisine italienne, le romarin se mélange très bien à l'ail. Les brins de romarin aromatisent le gibier, certains poissons, les viandes rôties principalement l'agneau et le veau.

Utiliser le romarin dans les conditions suivantes: dans les ragoûts de lapin, le pot-au-feu ou les ragoûts de boeuf; dans les marinades pour la viande; sur les côtelettes de veau; pour cuire la truite; ajouter à l'eau pour pocher le poisson; dans la sauce à la Bolognaise; dans les potages à la crème; dans les omelettes ou oeufs farcis; dans la sauce blanche accompagnant le chou-fleur; dans le cocktail de fruits de mer; dans la tartinade au jambon pour canapés.

agneau

Comme infusion, voici quelques conseils: infuser pendant plusieurs minutes en refroidissant du jus de légumes, filtrer ensuite; infuser dans la vinaigrette pendant 30 minutes

Mettre une branche de romarin dans un sucrier pour la sauce à spaghetti et filtrer avant de servir; infuser 15 minutes dans les sauces avant de servir.

Un gourmet bien connu donne les recettes suivantes: une pincée ajoutée au thym et aux oignons verts; plusieurs brins ajoutés aux sauces sucrées pour poudings aux fruits; une pincée de romarin avec une petite dose de basilic et de marjolaine dans la soupe de queue de boeuf.

SAFRAN

C'est une épice que l'on se procure sous forme de poudre ou de filament. Le safran est indispensable dans la fabrication du cari. Certes, le safran est l'épice la plus chère, mais une petite quantité s'avère toujours suffisante pour aromatiser tout un plat.

Cette plante à bulbe est cultivée depuis l'Antiquité pour l'aromate qui porte son nom, que l'on extrait des stigmates de ses fleurs, substance si rare et précieuse que son usage fut longtemps considéré comme un privilège royal!

Utilisation

De couleur jaune orange, le safran est indispensable au riz à l'espagnol, à la paella, à la bouillabaisse, au riz à la milanaise. On l'emploie souvent avec les viandes rouges ou blanches cuites en sauces, les poissons et avec certains légumes séchés. La quantité de safran à utiliser dépend de chaque individu.

Utilisé dans le poulet au riz, il est vraiment appétissant. On l'ajoute parfois dans les gâteaux ou les petits pains afin de leur donner une saveur et une coloration particulières. Certains l'ajoutent aussi à la vinaigrette pour en obtenir une saveur originale. Les brioches au safran sont vivement appréciées.

SARRIETTE

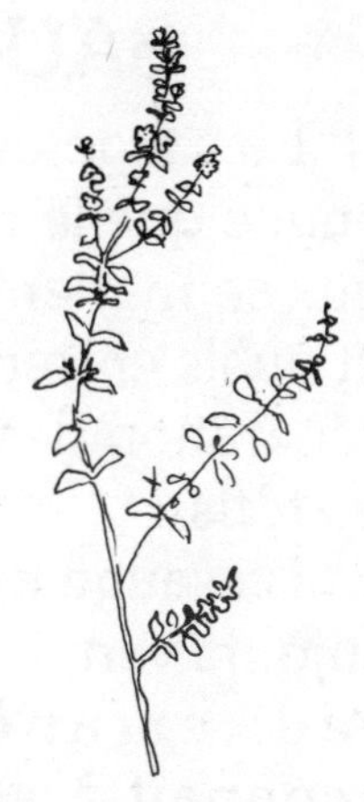

La sarriette est une sorte de thym sauvage. Elle appartient à la famille de la menthe. Sa saveur rappelle celle du thym mais elle est moins forte que ce dernier. Plusieurs la surnomme «l'herbe fine de la cuisine du Québec», ce qui situe son importance dans nos mets. En fait, on peut dire que la sarriette a sa place partout. Elle est d'origine méditerranéenne et peut être cultivée dans nos jardins.

Propriétés

La sarriette est antidiarrhéique et antiseptique intestinal. Elle facilite aussi la digestion.

Utilisation

Fraîche ou séchée, la sarriette donne un goût agréable aux viandes grillées. Elle est aussi utilisée dans les sauces, les farces, les pommes de terre en purée, les haricots et les petits pois, les salades, les marinades, les ragoûts, les daubes, le gibier faisandé, les liqueurs (Chartreuse), les infusions.

SAUGE

La sauge est aussi connue que le romarin. Les deux se marient très bien du fait qu'ils entrent dans la préparation des sauces et des rôtis.

La sauge est un arbuste toujours vert, originaire de la Méditerranée. On la reconnaît à ses longues feuilles un peu molles, de couleur gris-vert, recouvertes d'un duvet argenté. Les fleurs sont groupées en gros épis violacés. Elles sont très décoratives.

Propriétés

Les vertus de la sauge sont reconnues de longue date. D'ailleurs le mot sauge est dérivé du latin *salvare,* qui veut dire sauver. Au Moyen-Âge et à la Renaissance, on disait que la sauge a le pouvoir d'éloigner tous les maux. Toujours, d'après ces gens, elle pouvait soigner les morsures du serpent, le choléra et l'épilepsie! Les Chinois la tenaient aussi en très haute estime puisqu'ils l'échangeaient contre des caisses de thé qu'ils vendaient aux Européens.

La sauge est un excellent digestif. Elle est antiseptique, stimulante, diurétique, astringente et tonique. Elle aide aussi les fonctions du foie, de l'intestin et de l'estomac et régularise le flux menstruel. Quelle panacée naturelle!

Une bonne tisane de sauge prise avant de se coucher vous aidera à trouver le sommeil.

Utilisation

La sauge est un merveilleux assaisonnement qui doit être employé avec modération. Elle est utilisée avec le porc, le veau, le mouton, dans les saucisses (les Italiens en mettent toujours dans leurs rôtis); dans les pâtés de lapin, les foies de poulet, les trempettes au fromage piquant; dans la cuisson des haricots ou sur les tomates grillées; dans tous les poissons d'eau salée; dans la soupe à la queue de boeuf et les pommes de terre en purée; dans tous les plats cuisinés avec des fèves sèches; dans les salades de viandes froides; dans les ragoûts de viandes; dans les vinaigrettes; dans la compote de pommes ou la sauce au fromage.

On peut aussi l'utiliser dans les plats aux oeufs ou au fromage gratiné. Rien ne vous empêche de tremper des feuilles de sauge dans de la pâte à beignets et de la faire frire.

SEL

On pourrait écrire des pages et des pages sur le sel qui, il faut le rappeler, servait de devise chez certaines peuplades. C'est sûrement le condiment le plus employé et indispensable. Pouvez-vous imaginer une cuisine sans sel? Quelle infamie! Mais attention, les hypertendus feraient mieux d'en user avec grande modération.

Le sel est vendu sous forme de gros sel et de sel fin. Le gros sel sert à faire la cuisine tandis que le sel fin doit trôner sur la table.

Utilisation

Le sel est utilisé partout et n'oubliez pas qu'on sale même les gâteaux et sucreries pour la simple raison que le sel fait ressortir le goût du sucre.

SERPOLET

Plante à l'état sauvage poussant sur les sols arides, les rocailles, le serpolet se présente sous forme de rameaux.

C'est une sorte de thym sauvage qui est assez bien toléré par l'organisme. Le serpolet est ausi appelé farigoulette.

Utilisation

On l'utilise frais pour donner de l'arôme à un lapin ou à une viande d'agneau. Le serpolet entre dans la composition de bouquets de «persil» pour civets, sauces, marinades, ragoûts. Il parfume aussi les courts-bouillons, les saumures pour la préparation des saucissons et des jambons.

SÉSAME

Vous avez sans doute mangé les bonnes graines de sésame saupoudrées sur les confiseries, les biscuits, les pains, les croûtes de tartes.

Les graines de sésame sont toutes petites, de couleur ivoire, lisses et lustrées. Elles sont croquantes et leur saveur douce est extrêment agréable dans la bouche. Pour la conservation, faites-les griller au four et étendez-les sur une plaque à biscuits. Lorsqu'elles sont refroidies, mettez-les dans un bocal hermétique.

Outre les utilisations déjà mentionnées, on peut les saupoudrer sur les légumes cuits, les nouilles, les beignets, etc.

THYM

La senteur aromatique du thym est irrésistible. Cet aromate est encore appelé farigoule ou farigoulette.

Propriétés

On prête au thym de nombreuses propriétés curatives. Sa renommée remonte aux temps anciens. Le nom du thym viendrait du grec «thymon», qui signifie fumigation, car cette plante était utilisée pour assainir l'atmosphère des temples. L'histoire raconte aussi que les Romains en mettaient dans leur bain pour se donner de la force et de la vigueur!

Le thym est un excellent antiseptique, il est recommandé en cas d'intoxication alimentaire ou de dérangement intestinal. Il est apéritif, antidiarrhéique et il facilite la digestion. Il est aussi efficace pour les affections des voies respiratoires: toux, bronchites, asthme, rhumes, etc.

Utilisation

Le thym joue un rôle aussi important que le persil ou le laurier comme condiment alimentaire. Il se prête bien à tous ces plats: viandes rôties ou grillées; oeufs brouillés;

garnitures de sandwich aux oeufs, oeufs pochés accompagnés d'une sauce à la crème; pâtés de foie ou de lièvre; aspic aux tomates et cocktail de crevettes; potages aux poissons, soupes aux fèves ou minestrone, bouillons aux tomates; avec le saumon frais et dans du beurre fondu au jus de citron pour accompagner crustacés et poissons, avec du beurre fondu servi sur des légumes tels que céleri, carottes, tomates, champignons, aubergines, pommes de terre.

Il existe aussi une variété de thym-citronnelle qui sent le citron et qui accompagne merveilleusement bien le poisson et les viandes blanches.

VANILLE

C'est un fruit originaire du Mexique. Elle se présente sous forme de gousse et on peut aussi l'acheter sous forme d'essence. C'est une épice très douce qu'on ne peut dissocier de certains desserts.

Propriétés

À forte dose, la vanille est toxique, mais

en quantités normales, elle est délicieuse et très bien tolérée par l'organisme.

Utilisation

La vanille s'ajoute immanquablement à plusieurs compotes et confitures. C'est un condiment utilisé avec bonheur dans les mets sucrés, les crèmes, la liqueur, les entremets, les oeufs à la neige, le chocolat, le riz soufflé, les pâtisseries.

VINAIGRE

Le vinaigre est le produit de fermentation du vin. Il en existe plusieurs sortes. C'est un produit largement utilisé en cuisine. Acide, le vinaigre irrite les muqueuses digestives. Il est donc à déconseiller. Vous pouvez le remplacer par le citron.

Préparation

Presque tous les aromates peuvent servir à la fabrication du vinaigre aux herbes. La façon la plus simple de le fabriquer est de mettre plusieurs brins ou feuilles (ou deux gousses d'ail ou d'échalote) dans une bouteille ayant un bouchon non métallique, de remplir celle-ci de vinaigre blanc et de la laisser dans un endroit frais et sombre pendant quelques semaines. Si vous employez du vinaigre de vin ou du cidre, ajoutez des aromates plus puissants tels l'estragon, la menthe, le basilic et le laurier. Pour accélérer le processus de fermentation, il est préférable d'écraser les feuilles ou les gousses d'ail et de chauffer le vinaigre presque jusqu'au point d'ébullition avant d'y jeter les herbes et de le mettre en bouteille. Après dix jours environ, filtrez le tout afin de vous débarrasser des résidus des aromates, puis remettez le liquide en bouteille. Laissez quelques brins d'herbes ou des fleurs se baigner dans le vinaigre comme décoration.

Petit lexique des propriétés des plantes

Dans cet ouvrage, plusieurs termes reviennent souvent pour expliquer les vertus thérapeutiques des plantes. Certains d'entre eux sont explicites et d'autres le sont moins. Ce petit lexique permettra de mieux les comprendre.

Adoucissante: qui a le pouvoir d'atténuer une douleur ou une inflammation.
Analgésique: qui supprime la douleur.
Antiseptique: capable de prévenir l'infection.
Carminative: qui expulse les gaz intestinaux.
Dépurative: qui purifie par élimination les toxines retenues par l'organisme.
Digestive: qui facilite la digestion.
Diurétique: qui favorise la sécrétion de l'urine.
Émolliente: qui amollit et détent.
Expectorante: qui favorise les sécrétions des voies respiratoires.
Fébrifuge: qui a le pouvoir de faire baisser la fièvre.
Hépatique: qui soigne le foie.
Laxative: qui purge l'intestin.
Rafraîchissante: qui calme la soif et apaise la sensation de chaleur.
Sodorifique: qui provoque les sueurs.
Stimulante: qui excite les facultés organiques.

CUMIN
CÉLERI
ORIGANO
piments

Des conseils utiles pour la culture des herbes à l'intérieur

Si vous voulez expérimenter la culture des herbes condimentaires à l'intérieur, il vous faudra savoir les diviser en deux catégories bien distinctes: celles qui se cultivent par semis et celles qui se développent à partir des plants ou des boutures. Dans la première catégorie, citons: basilic, persil frisé, marjolaine, cerfeuil, sarriette, sauge, fenouil, thym. À faire au printemps.

Dans la deuxième catégorie (à la fin de l'automne): laurier, menthe poivrée, romarin, persil frisé, ciboulette, estragon, marjolaine, thym, sarriette vivace, lavande, estragon.

Vous remarquerez que certaines herbes conviennent aux deux méthodes préconisées.

Voici les précautions à prendre pour que votre culture à l'intérieur soit rentable et agréable:

- choisir un endroit bien aéré et bien éclairé, avec une température plutôt fraîche, une humidité ambiante suffisante (35 à 45 p. cent d'humidité relative).
- opter pour des pots pourvus d'un bon drainage et assez grands pour éviter que les plants ne soient tassés.

- mettre du terreau bien pourvu de matière organique et d'éléments nutritifs.
- fertiliser une fois par mois avec un engrais soluble tout usage, par exemple la formule éprouvée 20-20-20.
- Contrôler l'arrosage; arroser généreusement afin que l'eau humecte bien le sol sans le détremper. Arroser à nouveau au bon moment pour que le sol soit légèrement humide.
- tailler et bassiner régulièrement le basilic et le fenouil. La lumière est indispensable et il leur en faut beaucoup. Surveiller particulièrement la fertilisation et les arrosages.
- couper souvent le feuillage de la menthe poivrée pour qu'elle ne s'étende pas de façon exagérée.
- éliminer les petits plants faibles de persil pour permettre aux plants forts d'être productifs et beaux.
- porter une attention particulière à l'humidité dans le cas de la marjolaine.
- veiller à garder le sol toujours humide pour tirer le maximum du romarin.

Quelques trucs pour maximiser votre récolte

Les herbes cultivées à la maison servent habituellement en cuisine même si on peut parfois les utiliser à des fins curatives ou même décoratives. On peut décider de les utiliser fraîches ou de les conserver. S'il s'agit d'une utilisation immédiate, vous pouvez les cueillir n'importe quand avant la floraison.

Dans ce cas, à l'aide d'un couteau ou de ciseaux, vous coupez un brin ou deux à l'extrémité de la plante, juste au-dessus du bouquet situé un peu plus bas sur la tige. Vous aurez ainsi les feuilles les plus tendres tout en accroissant la vigueur de la plante. Vous pouvez aussi décider de laisser un ou deux plants d'espèces annuelles «monter en graine» que vous pourrez utiliser l'an prochain quand viendra le temps de semer, cela vous évitera d'en acheter.

Certaines herbes comme le persil et la ciboulette croissent différemment, leurs feuilles jaillissent directement en bouquet des racines, on ne peut donc pas les cueillir de la même façon. Il ne faut pas couper les extrémités, cela raccourcirait progressivement la plante et l'afflaiblirait, la privant des sucs nécessaires à sa croissance. Il est préférable de couper les feuilles entières au ras du sol, sur le pourtour du bouquet.

Récolte des herbes à conserver

Si vous décidez de faire sécher ou de congeler vos herbes, il vous faut alors choisir le moment de la récolte. Certaines herbes comme le persil et la sarriette demandent qu'on les cueille tôt quand les feuilles sont encore tendres. Mais dans la plupart des cas, il est préférable de les cueillir juste au moment de la floraison, lorsque les petites glandes des feuilles regorgent d'essences aromatiques puisque le processus de conservation fait perdre une partie de ces essences.

Il est bon d'agir tôt par un matin ensoleillé, juste après l'évaporation de la rosée;

ne tardez pas trop, le soleil ferait disparaître une partie des essences. La façon de les cueillir est aussi importante. Les annuelles doivent être coupées suffisamment au-dessus du sol pour laisser un peu de verdure, ce qui permet aux plantes de reproduire des nouvelles pousses. Quant aux plantes aromati-

ques arborescentes comme le romarin et la marjolaine, coupez quelques centimètres de l'extrémité de chaque branche, vous satisferez ainsi vos besoins tout en permettant l'apparition de nouvelles pousses.

Vous pouvez ensuite faire des bouquets séparés des différentes herbes cueillies que vous placerez sur un papier journal ou dans un sac de papier. Dès que possible, nettoyez chaque bouquet et enlevez les feuilles mortes. Il est très important d'étiqueter chaque bouquet: en séchant, les feuilles rétrécissent et changent de couleur ce qui rend leur identification difficile.

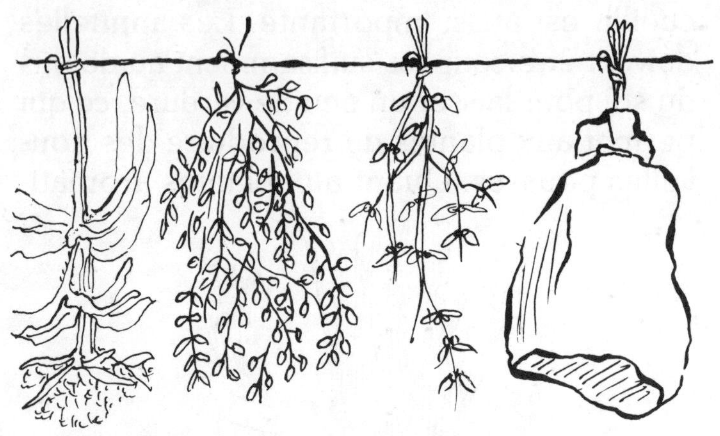

Le séchage

Vous pouvez ensuite faire sécher le produit de votre cueillette. Les plantes à longue tige comme la marjolaine et la sauge peuvent être attachées en bouquets et suspendues la tête en bas dans une pièce sèche et aérée. On peut les mettre dans un sac de papier dans lequel on a percé plusieurs trous pour permettre l'aération, la tête en bas toujours. De cette façon, vous évitez qu'elles s'empoussièrent et vous pourrez facilement ramasser les feuilles qui se détachent. Il ne faut jamais les faire sécher collées à un mur, l'aération serait déficiente.

En deux semaines environ, les feuilles

devraient être craquantes au toucher. Vous pouvez alors décrocher les bouquets avec précaution afin de séparer les feuilles des tiges. Jetez les tiges, elles conservent l'humidité et moisissent. Vous pouvez alors décider de garder certaines feuilles intactes pour vos infusions et conserver les autres émiettées: les morceaux plus gros gardent leur arôme plus longtemps mais les plus petits ont un arôme plus concentré et se conservent dans un récipient plus petit.

Le séchage au four

Certaines feuilles plus longues à sécher comme celles du persil et du basilic doivent être séparées des tiges dès la cueillette. Aussi est-il difficle d'appliquer la méthode décrite précédemment. On peut donc hâter leur processus de séchage en étalant les feuilles sur une plaque à biscuits, par exemple, que l'on met dans le bas d'un four réglé au minimum en laissant la porte entrouverte. On retire les feuilles dès qu'elles semblent sèches au toucher.

Les plateaux de séchage

Plusieurs jardiniers font sécher leurs herbes en utilisant des plateaux empilés horizontalement de façon à laisser circuler l'air. Ce

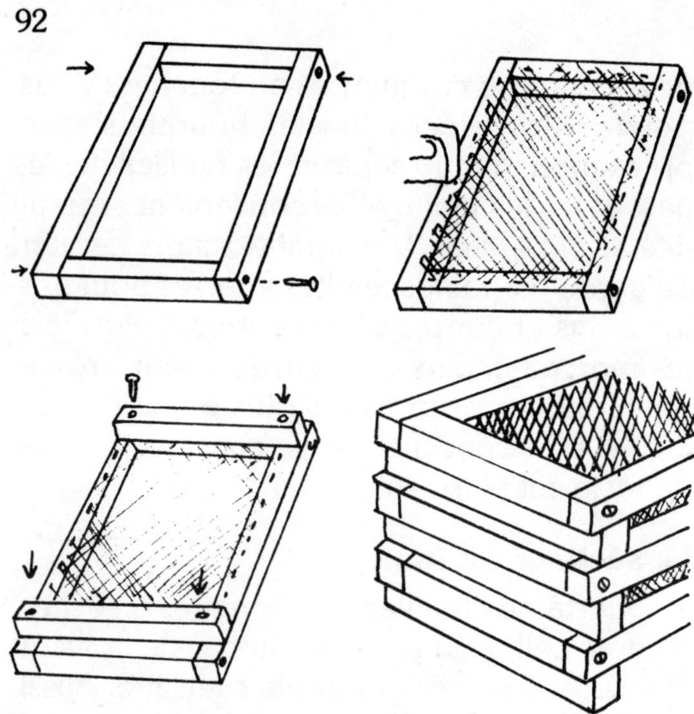

procédé est particulièrement recommandé pour les espèces courtes qu'il est difficile de rassembler en bouquets ou pour les plantes comme le laurier dont on ne conserve que les grandes feuilles. Comme plateaux, vous pouvez utiliser des cadres de bois et de métal sur lesquels vous tendez un morceau de gaze. Ces plateaux doivent être placés à l'ombre dans un endroit sec.

La récolte des graines

Cette méthode est particulièrement utile pour les herbes dont on veut retirer les graines comme le carvi et l'anis. Dès que les capsules de graines ont perdu leur aspect verdâtre, coupez-les et laissez-les sécher sur les plateaux de cinq à dix jours dans un endroit sec et bien aéré. Lorsque les capsules sont bien sèches, frottez-les entre les paumes de vos mains pour faire tomber les graines. Remettez ces graines à sécher sur les plateaux pendant une semaine à dix jours.

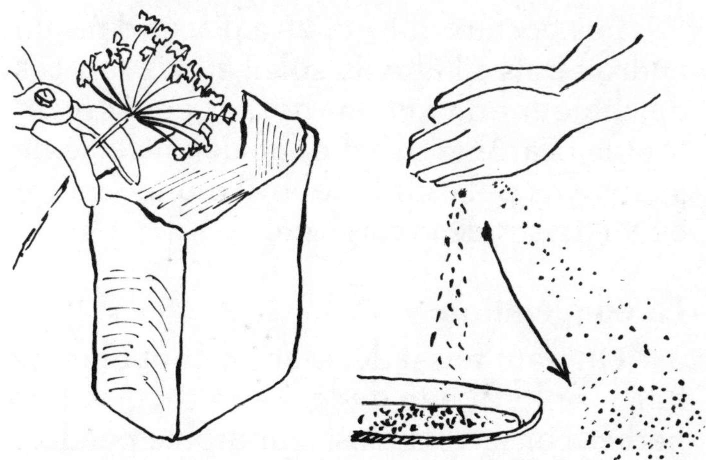

Une fois séchées, les graines et les feuilles doivent être placées dans des récipients hermétiques qui permettront de conserver l'arôme et d'éviter la moisissure. Pour ce faire, on peut utiliser des pots à épices ou des pots de confitures et, pour les quantités plus importantes, des bocaux de verre ou dès boîtes à café.

Le verre a l'avantage de laisser voir le contenu: on sait alors la quantité dont on dispose et on peut rapidement remarquer des signes de moisissure. Si le contenant suinte par exemple, c'est signe d'humidité et de moisissure éventuelle. Il faut alors faire sécher les herbes de nouveau, soit à l'air libre ou au four, avant de les remettre dans des récipients.

Les bocaux doivent être placés dans un endroit frais à l'abri du soleil et des sources de chaleur afin que les herbes conservent tout leur arôme. Il est donc déconseillé de placer vos pots sur le rebord d'une fenêtre ou au-dessus de la cuisinière.

La congélation

On peut aussi décider de congeler les herbes plutôt que de les faire sécher. Les herbes conservent ainsi leur arôme pendant plus d'un an même si elles se fanent. On ne peut pas les utiliser comme décoration ou garniture dans une recette. On ne peut pas non plus recongeler une herbe dégelée, il faut la jeter.

Les herbes peuvent être placées dans des cubes à glaçons qui, une fois congelées, sont placées dans des petits sacs de plastique. Il suffit de mettre un cube ou deux dans votre ragoût pour l'arômatiser.

Tout comme les herbes à faire sécher, les herbes à congeler doivent être cueillies par une matinée ensoleillée une fois la rosée évaporée. Il faut nettoyer les plantes, enlever les feuilles mortes et sécher les brins avec une serviette de papier. De petites quantités d'herbes sont ensuite placées dans des sacs de plastique transparent que l'on prendra soin d'identifier et de dater.

Vous pouvez également décider de congeler des bouquets de plusieurs herbes, ce qui vous évitera d'ouvrir plusieurs sacs pour aromatiser vos plats.

Le séchage accroît la saveur

Allez-y avec parcimonie lorsque vous utilisez des herbes séchées puisque les essences se sont concentrées au cours du processus de déshydratation. Il vaut donc mieux en mettre moins que ce qui est recommandé quitte à ajouter des herbes après avoir goûté au mets. Les feuilles congelées, pour leur part, peuvent être utilisées dans les mêmes proportions que les herbes fraîches.

Tables des matières

Recettes

Recettes

Recettes

Recettes

Recettes

11007